Rita agus an róbat

le Máire Zepf

Andrew Whitson a mhaisigh

Do Lorcán, Cillian agus Áine, a spreagann go laethúil mé,
agus do James - mo chrann taca.
MZ

Le grá mór do mo Choillín shárshórtála!
AW

ISBN: 978-0-9934745-3-8

Tá an tSnáthaid Mhór buíoch d'Fhoras na Gaeilge (Clár na Leabhar Gaeilge) as tacaíocht airgeadais a chur ar fáil
Tá an tSnáthaid Mhór buíoch de Chomhairle Ealaíon Thuaisceart Éireann as tacaíocht airgeadais a chur ar fáil.

An tSnáthaid Mhór,
20 Gairdíní Ashley,
Bóthar Lansdúin,
Bóthar Aontroma,
Béal Feirste,

BT15 4DN

www.antsnathaidmhor.com

Gaeilge

Béarla

An tSnáthaid Mhór

Seo í

Rita.

Tá seomra
leapa Rita
ina phraiseach.

Ba mhaith le Rita
róbat.
Róbat sárshórtála a
ghlanfadh suas an phraiseach is mó.

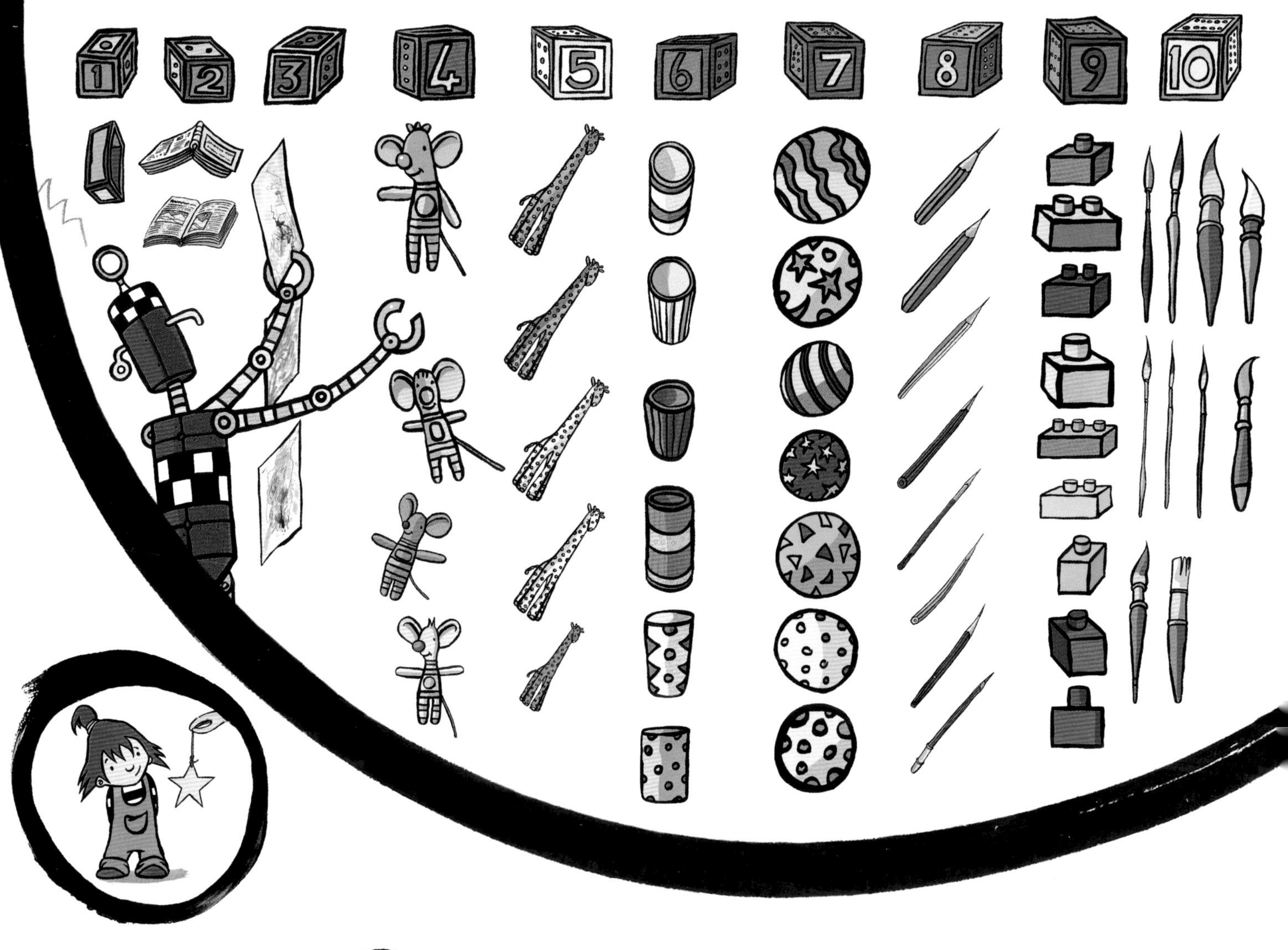

Ní bheadh Mamaí ag
tabhairt amach riamh arís.

Dhéanfadh
Rita
praiseach
praiseach
praiseach.

Agus
dhéanfadh
an róbat
sórtáil

sórtáil

sórtáil.

Praiseach
praiseach
praiseach!

Sórtáil!

Sórtáil!

Sórtáil!

Fhad is nach mbeadh
a róbat ***ró****néata* di.

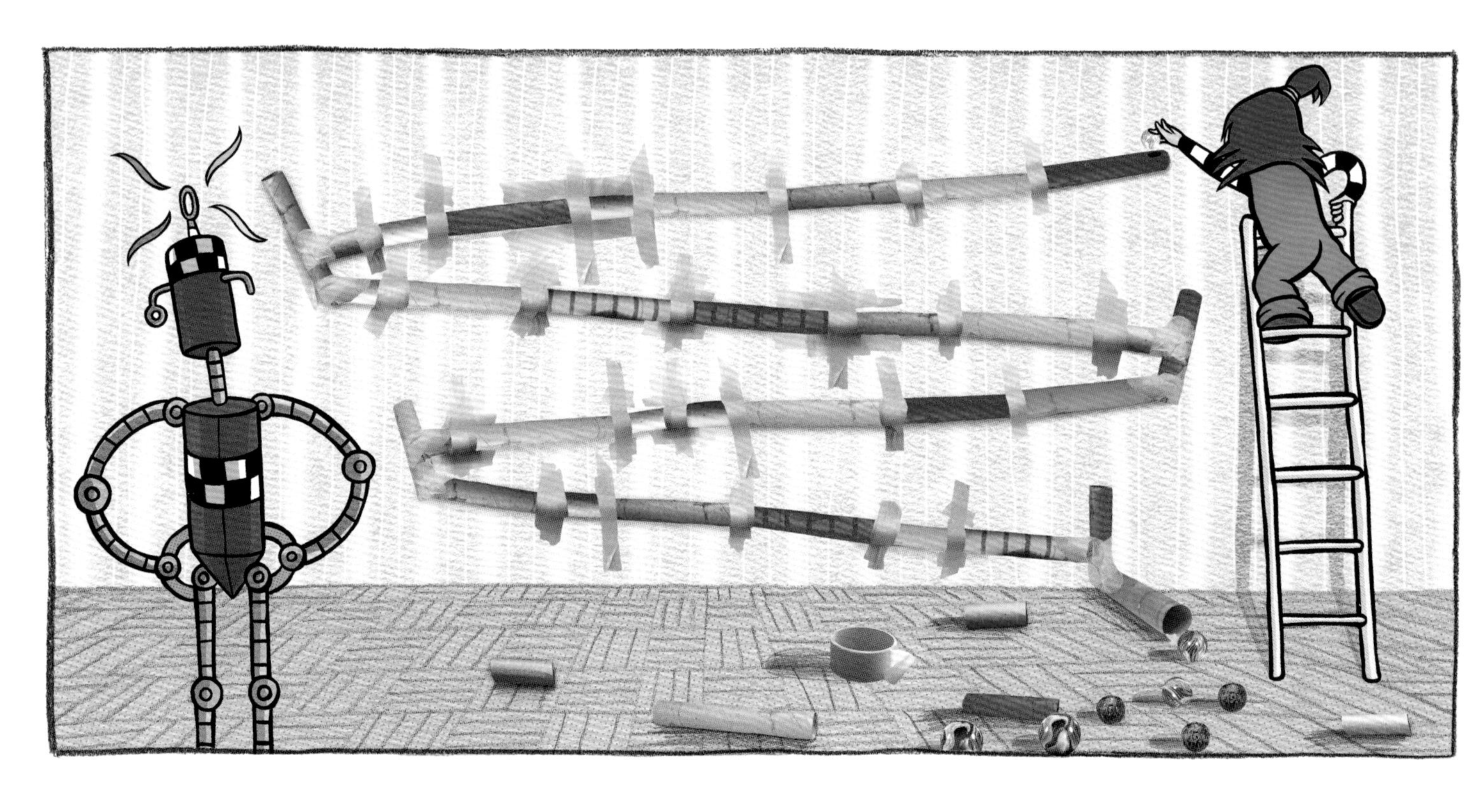

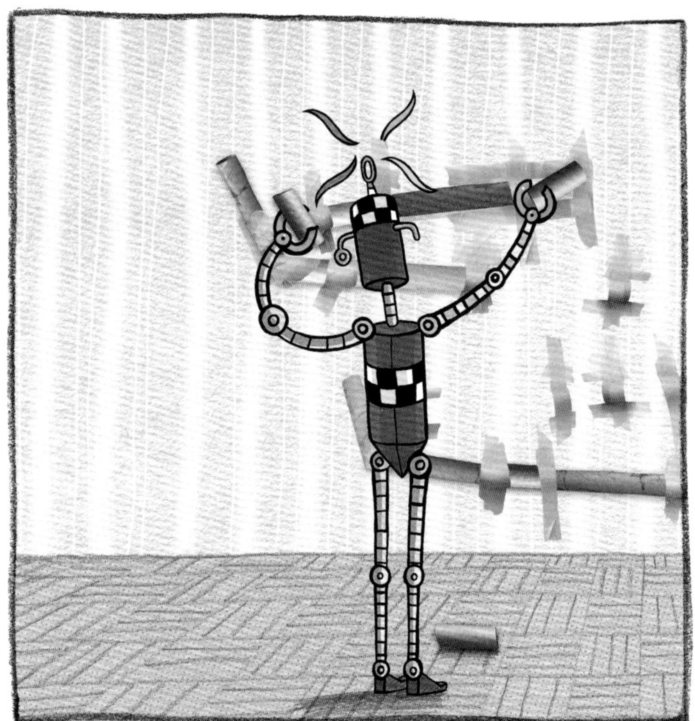

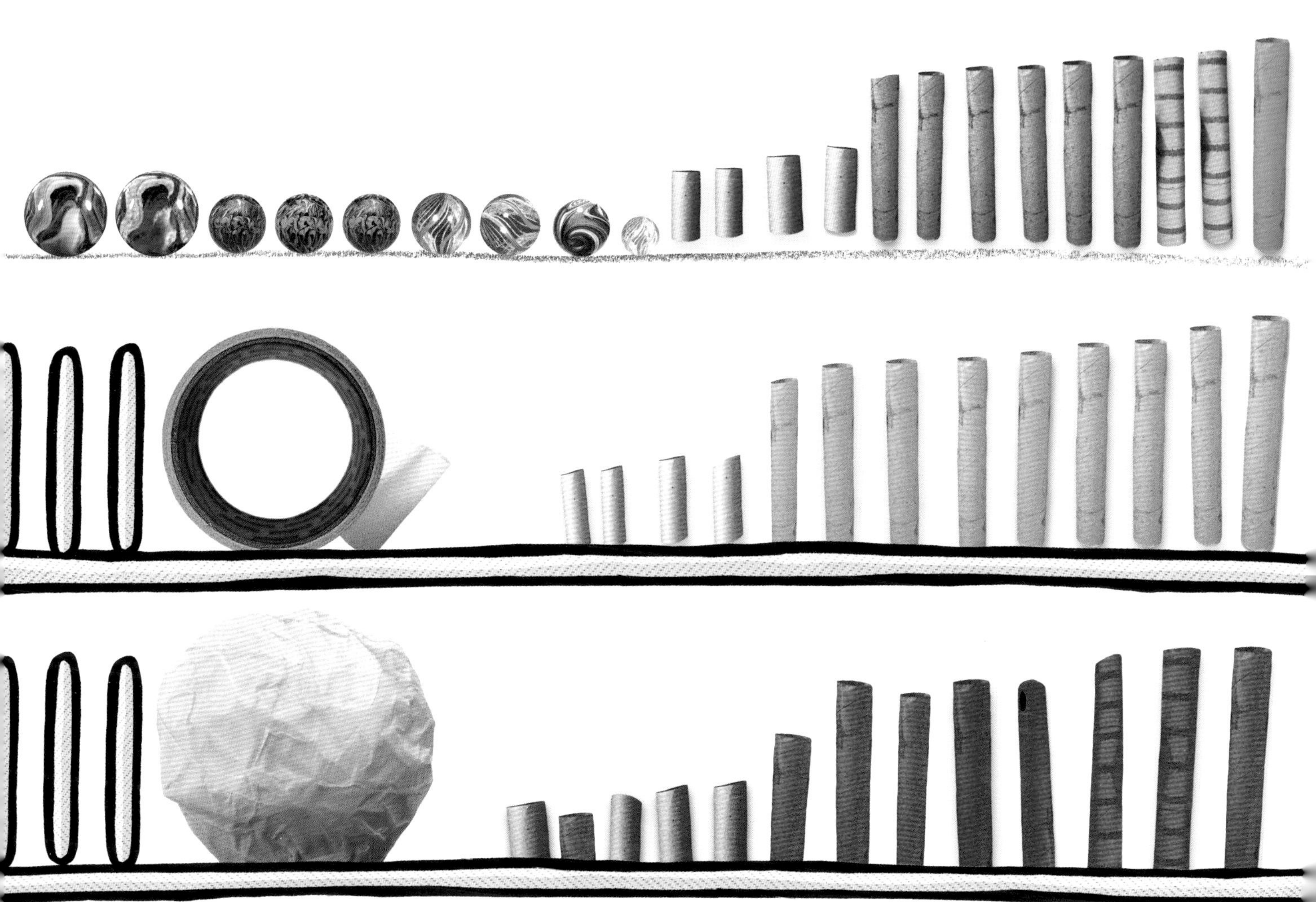

Níor mhaith léi sin.

Bheadh air a thuiscint cá huair a
bheadh rudaí le fágáil mar atá.

Nó bheadh Rita an-chrosta.

Dá gcuirfeadh sé smacht ar rudaí

ba chóir a bheith fiáin...?

Bheadh sin millteanach.

Agus mura mbeadh a
fhios aige
cá huair le stopadh?

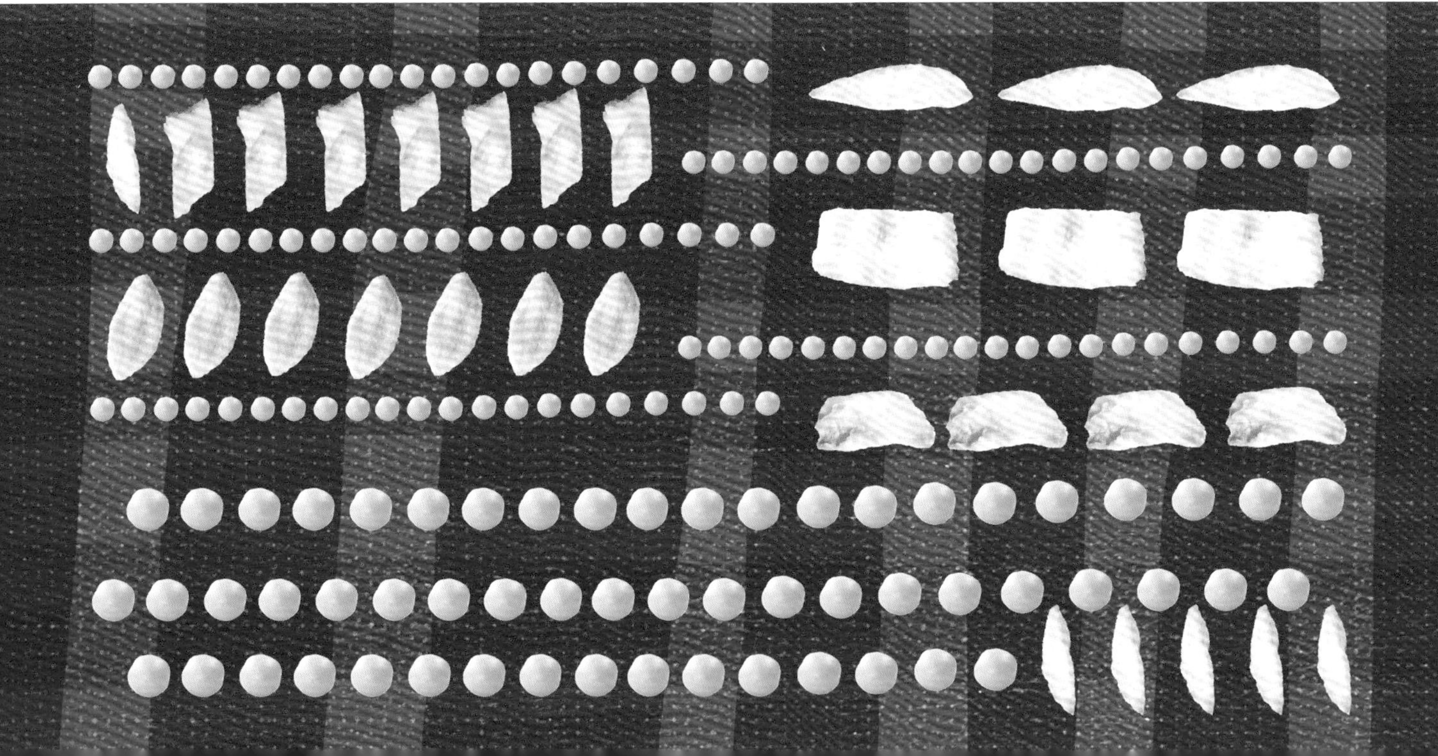

Thiocfadh lena róbat
trioblóid mhór a
tharraingt uirthi.

Is fuath le
Rita trioblóid.

D'fhéadfadh an róbat seo
gach rud a mhilleadh.

Agus cén deireadh a bheadh leis?

Áááááá!

D'athraigh Rita a hintinn.

Níor mhaith léi róbat sárshórtála níos mó.

10

10

Tá Rita níos fearr ag sórtáil
ná mar atá róbat ar bith.

NR